An Triail

Staidéar ar an Dráma don Ardteistiméireacht
(Ardleibhéal)

Gearóidín Ní Ghlinn

GILL & MACMILLAN

Gill & Macmillan Ltd
Ascaill Hume
An Pháirc Thiar
Baile Átha Cliath 12
agus cuideachtaí comhlachta ar fud an domhain
www.gillmacmillan.ie

0 7171 3373 7

Clóchuradóireacht bunaidh arna déanamh in Éirinn ag
Carrigboy Typesetting Services Ltd, Co. Cork.

Rinneadh an páipéar atá sa leabhar seo as laíon adhmaid ó fhoraoisí rialaithe. In aghaidh gach crann a leagtar cuirtear crann amháin eile ar a laghad, agus ar an gcaoi sin déantar athnuachan ar acmhainní nádúrtha.

Clár

1
An t-údar

Rugadh Máiréad Ní Ghráda i gCo. an Chláir ar 23 Nollaig 1896. Bhí Gaeilge ó dhúchas ag a muintir. Bhuaigh sí scoláireacht go Coláiste na hOllscoile, Baile Átha Cliath. Bhain sí céimeanna BA agus MA amach sa Ghaeilge.

Bhí sí sáite i gcúrsaí polaitíochta. Ba bhall de Chumann na mBan í. Sa bhliain 1920 cuireadh i bpríosún í toisc go raibh sí ag bailiú airgid ar son Chonradh na Gaeilge.

Phós sí, agus rugadh beirt mhac di. Bhí post mar bholscaire aici le Raidió Éireann, agus bhí spéis riamh aici i gcúrsaí drámaíochta. Scríobh sí *An Triail*, atá ar chúrsa na hArdteiste, dráma a raibh cáil mhór air ag an am. Bean neamhspleách ba ea í: bhí post aici nuair nár ghnách mná a bheith ag obair sa saol poiblí. Fuair sí bás ar 13 Meitheamh 1971 i mBaile Átha Cliath.

Bhí sí ina ball de bheagnach gach eagraíocht a bhí ag iarraidh drámaíocht i nGaeilge a fhorbairt i mBaile Átha Cliath.

Bhí sí ar an gcoiste a bhí taobh thiar de bhunú amharclann nua i Halla Damer (Faiche Stiofáin, Baile Átha Cliath). Is in Amharclann Damer, ar 22 Meán Fómhair 1964, a léiríodh *An Triail* den chéad uair.

Nuair a léiríodh é bhí léirmheas ar an *Irish Press* agus 'The play that shocked' mar cheannlíne air.

2
Achoimre ghairid

Bhí mar a bheadh mallacht Dé orthu siúd a raibh sé de dhánacht iontu smacht na hEaglaise Caitlicí, nó smacht an teaghlaigh, a threascairt in Éirinn i seascaidí an fhichiú haois. Sin mar a chuireann an scríbhneoir Máiréad Ní Ghráda tragóid na máthar neamhphósta in iúl dúinn sa dráma bríomhar ceannródaíoch seo.

Bhí sé de mhí-ádh ar Mháire Ní Chathasaigh, bean óg neamh-urchóideach, titim i ngrá le fear pósta, Pádraig Mac Carthaigh, agus a chuid cainte mealltaí bréagaí. Náire na gcomharsan a tharraing Máire ar a muintir. Níor theastaigh óna máthair ach go mbeadh sé scríofa ina fógra báis gur bean rialta a bhí ina hiníon agus gur sagart a bhí ina mac, Seán. Ba chuma léi cad a bhí uathusan. Bean chreidiúnach a bhí inti, agus bhí a páistí faoina smacht aici. Seachas iarracht a dhéanamh ar ghin Mháire a mharú, ní thugann sí aon chabhair di. Fágtar Máire ar thaobh na sráide. Tá uirthi an ród uaigneach a thaisteal ina haonar, a paróiste beag a fhágáil, agus dul isteach i dtearmann ban go dtí go saolófar an leanbh. Tá sí imeallach agus tréigthe ag gach aon duine, seachas Mailí, striapach a chasann uirthi sa chathair mhór choimhthíoch.

Go bríomhar agus go paiseanta cuireann na haisteoirí an scéal inár láthair. Cabhraíonn stáitsiú cliste Mháiréad Ní Ghráda le leanúnachas an scéil: an céilí sa teach scoile, an baile, an tAifreann, agus an tearmann ban. Is ionann an smacht agus an ghreim láidir ar na daoine i ngach áit agus gach réimse dá saol idir an céilí agus an tearmann. Ach is sa chúirt a chíoraítear an fhírinne agus an t-easnamh carthanachta, agus is ann a chiontaítear na daoine atá freagrach.

An scéal

Tá téama an scéil seo réalaíoch agus sochreidte. Cé gur scríobhadh an dráma sna seascaidí, tá sé oiriúnach don tréimhse seo freisin. Is téama conspóideach é, fiú amháin sa lá atá inniu ann, mar is fadhb shóisialta fós é an mháthair shingil ag iarraidh a dícheall a dhéanamh dá leanbh agus fórsaí na sochaí ag obair ina coinne. Déantar mná óga mar Mháire a dhíbirt go rialta inniu. Dá bhrí sin, trasnaíonn an scéal seo gach aois—bean óg neamhphósta i ngrá le fear pósta, a mheallann í agus ansin a thréigeann í. Bean óg shaonta í Máire Ní Chathasaigh; ní theastaíonn ó Phádraig, a leannán, ach a dhúil ainmhianta féin a shásamh. 'Mura mbeadh tusa, rachainn as mo mheabhair,' arsa Pádraig an plámásaí le Máire. Ach chomh luath is a fhaigheann sé amach go bhfuil sí ag iompar linbh, fágann sé i leataobh í.

Tarlaíonn an rud céanna go forleathan fós inniu. Go rímhinic tréigeann na fir na mná, agus is beag aitheantas a thugann siad don leanbh. Bhí ar Mháire—ar nós mná eile—a bealach truamhéalach féin a leanúint, gan aon chabhair óna muintir ná óna cairde. 'An ród atá romham caithfidh mé aghaidh a thabhairt air i m'aonar.'

Gach bliain téann na mílte bean as Éirinn go Sasana chun ginmhilleadh a fháil, cé go bhfuil an córas sóisialta níos fearr inniu ná mar a bhíodh. Agus tá cumainn ann chun cabhrú leis an máthair shingil a bhíonn imeallaithe ag an tsochaí agus féin-mharfach de dheasca a faidhbe pearsanta. B'fhéidir nach bhfuil muintir na hÉireann chomh caolaigeanta is a bhí siad sna seascaidí, ach tá mná óga sa chruachás céanna inar fhulaing Máire i ngach baile in Éirinn. Nuair a labhraíonn na finnéithe os comhair na cúirte, feictear go soiléir an dearcadh fimíneach a bhí ag an bpobal ag an am.

Tá Máire i ndeireadh na feide nuair a dhiúltaíonn Pádraig a leanbh a fheiceáil. Nuair a ghlaonn sé 'striapach' uirthi níl puinn dóchais fágtha aici. An oíche sin maraíonn sí an leanbh agus ansin cuireann sí lámh ina bás féin. 'Mharaigh mé mo leanbh de bhrí gur cailín í. Ní bheidh sí ina hóinsín bhog ghéilliúil ag aon fhear.' Tarlaíonn sé seo go minic nuair a bhíonn grá leatromach i gceist.

Léiríonn Máiréad Ní Ghráda go héifeachtach an deighilt a bhí idir an Chríostaíocht agus an charthanacht. Deir Bean Uí Chathasaigh: 'Táim ag dul go dtí mo sheomra chun mo phaidreacha a chríochnú.' Go gairid ina dhiaidh sin, agus í ag caint le Máire, deir sí: 'Féadfaidh sibh imeacht go Sasana, in áit nach mbeidh aithne ag aon duine oraibh; mallacht ar an té a tharraing an náire seo orainn.'

Má tá aon dochreidteacht ag baint leis an scéal is é an léiriú a thugtar ar na pearsana. Tá sé an-simplí. Mar shampla Máire: ní luann sí ainm a leannáin le haon duine, fiú nuair nach bhfuil aon mheas aici ar Phádraig. An mbeadh aon bhean chomh haineolach léi inniu? Ní dóigh liom é: is dócha go mbeadh binse fiosrúcháin ann chun ainm an fhir a fháil amach! An mbeadh aon mháthair chomh mídhaonna le Bean Uí Chathasaigh? 'Cad eile a d'fhéadfainn a dhéanamh di?' Maidir leis an sagart, an t-oibrí sóisialta, agus Bean Uí Chinsealaigh, níl iontu ach comharthaí sóirt: ní dhearna an t-údar forbairt orthu mar dhaoine.

Tá tús an dráma an-éifeachtach. Léiríonn an garsún gur 'tragóid uafásach' atá i bpríomh-cheannlíne nuachtán an tráthnóna. Músclaíonn sé seo suim sa lucht féachana. Tá gach duine fiosrach chun an scéal a chloisteáil nó a léamh; oibríonn an oscailt seo go sármhaith. Is iomaí suíomh a bhíonn ag an scéal as sin amach—ó theach Mháire go dtí an teach tearmainn, ón bhfaoistin sa séipéal go dtí teach an mhíchlú; críochnaíonn sé sa reilig. Nach go truamhéalach agus go paiseanta a léirítear an scéal tragóideach seo!

3
Réamhrá agus na téamaí sa dráma

Tugadh an chéad léiriú den dráma seo sa bhliain 1964. Chuir RTE an dráma ar an teilifís; ba é an chéad dráma i nGaeilge a léiríodh ar RTE. Ach ní dhearna siad aon chóip de, agus is mór an trua é nach bhfuil físeán de ar fáil.

Is suarach an pictiúr a thugtar dúinn den ghrá agus de shaol na mná singil agus an linbh thabhartha. Tá cumhacht as cuimse ag Pádraig Mac Carthaigh ar Mháire. Is í an chumhacht mheabhlach agus a smaointe is cúis leis an gcruachás ina bhfuil Máire. Tá Máire tréigthe nuair a thugann sí faoi deara nach duine mar a thuairisc é. Grá leatromach atá le sonrú anseo.

Tá tréithe na seanscéalta béaloideasa le feiceáil sa dráma seo. Bean óg shoineanta is ea Máire, tréigthe ag an bhfear ar thug sí grá dó. Feictear go luath sa dráma go bhfuil an saol go léir ina coinne; ach de réir mar a théann an dráma ar aghaidh feictear go bhfuil trua ag Seáinín an Mhótair agus ag Mailí, an striapach, di. Is í Máire a fhaigheann an t-eiteachas sa dráma seo, ar nós na mná sna sean-dánta grá.

Tríd síos is ainnis an pictiúr a thugtar dúinn den ghrá. Maraíonn Máire a leanbh, 'an leanbh a raibh oiread sin ceana aici uirthi.' Is annamh a bhuailtear le máthair a dhéanann sin; mar sin sáraíonn Máire na rialacha bunúsacha nuair a mharaíonn sí a hiníon agus í féin.

Téama conspóideach atá á léiriú in *An Triail*, fiú sa lá atá inniu ann. B'fhéidir nach bhfuil dearcadh an phobail chomh caolaigeanta inniu is a bhí sna seascaidí, ach tá rian de fós ann. Tá náire i gceist, dearcadh a muintire agus na heaglaise, nuair a fhiafraíonn Seáinín an Mhótair, 'Cé a deir gur tír Chríostúil í seo?' Tá deireadh le saol cráifeach Mháire nuair nach féidir leis an sagart aspalóid a thabhairt di. Tá Máire ina haonar, ar nós na mná eile sa dráma. A máthair ina baintreach agus na hógmhná sa teach tearmainn; agus fiú ní phósann Beití Liam!

Tá Máire imeallaithe ag an saol mór, ar nós na mná eile sa teach tearmainn. Níl dídean le fáil aici ach i dteach an mhíchlú le Mailí, atá ar imeall na sochaí freisin. Cuireann fimíneacht na sochaí brú uafásach ar Mháire agus a leanbh. 'Ní bheidh sí ina hóinsín bhog ghéilliúil ag aon fhear.'

Tá raidhse mhór de phearsana sa dráma seo. Tá pearsantachtaí éagsúla le brath. Is bean chráifeach í máthair Mháire, ag rá na Corónach Muire agus an liodáin. Ar an láimh eile, tá striapacha ann, agus cuirtear striapaigh in aithne dúinn. Tugann an greann a léirítear sa seomra níocháin faoiseamh dúinn ón teannas atá sa dráma. 'Is cuma nó clochar ban rialta sinn . . . Ní hé an croí atá lán ag an gcuid is mó againn,' arsa Dailí. 'Tabhair aire duit féin nach mbéarfaidh na damháin alla móra greim ort.' Tá contráthacht le feiceáil idir na cineálacha daoine seo.

4
Téama

Dráma corraitheach faoi bhean óg a fhágtar ina haonar agus í ag iompar clainne, í tréigthe ag an bhfear ar thug sí grá dó, is téama don dráma seo. Tá Mailí, an striapach, ar an mbeagán daoine a léiríonn aon trua di, ach roghnaíonn sí a bealach scanrúil féin le héalú óna cruachás.

Tá dhá ghníomh sa dráma. Tá deich radharc i ngníomh I agus ocht radharc i ngníomh II.

Gníomh I

Radharc i (iardhearcadh)

Sa chúirt. Glór Mháire.

Radharc ii

An rince sa teach scoile. Canann Máire an t-amhrán 'Siúil, a Ghrá.' Cuireann Pádraig suim inti. (Ar ais sa chúirt: fianaise Liam, líne 23–4.)

Radharc iii

Máire agus Pádraig ag siúl abhaile. Deir sé go bhfuil sé pósta ach nach bhfuil sé i ngrá lena bhean. Tá sé i ngrá le Máire, dar leis!

Radharc iv

Sa chúirt arís: fianaise na máthar. Duine Críostaí is ea í. Tá sí an-údarásach.

Radharc v

Pádraig agus Máire sa teach scoile. Tosaíonn sé ag caint faoina bhean chéile arís. Is í Máire 'a bhean chéile i ndáiríre.'

Radharc vi

An fhaoistin. Deir an sagart nach bhfuil ar a chumas aspalóid a thabhairt di. Sin é deireadh an tsaoil chráifigh, dar le Máire.

Radharc vii

Tá an teaghlach ag rá a bpaidreacha. Éiríonn Máire agus ritheann sí amach agus í ag caoineadh. Tosaíonn a máthair á cuardach. Tá Seán agus Liam ag caint. Ba mhaith leis an máthair toradh gach íobartha a bheith aici: 'Seán ina shagart, Máire sna mná rialta agus Liam i mbun na feirme!' Tosaíonn na buachaillí ag caint; i ngan fhios dóibh, tá an mháthair ag éisteacht. Tá a fhios aici ansin go bhfuil Máire ar ais. Tosaíonn an seanscéal arís, an mháthair ag caint faoi 'gach duine sa pharóiste agus na comharsana.'

Sa chúirt: Seán agus aturnae (líne 39). Máire agus an mháthair. Easpa dílse na ndeartháireacha. Easpa tuisceana na ndeartháireacha agus na máthar.

Radharc viii

Sa chúirt: Bean Uí Chinsealaigh. Deir sí gur thug sí post do Mháire. Bhí a fhios aici go raibh sí 'trom,' nó ag iompar clainne. Ar an bhfógra sa nuachtán bhí sí toilteanach ceithre phunt sa tseachtain a thabhairt do chailín aimsire; ach níor thug sí ach dhá phunt is deich scillinge do Mháire. Thug sí an bóthar di tar éis tamaill. Cad a déarfadh na comharsana? Cad faoi a fear céile? Bhí ar Mháire dul isteach i dteach tearmainn.

Radharc ix

An t-oibrí sóisialta; agallamh le Máire. Deir Máire nach mbeidh sí ag dul abhaile: 'B'fhearr liom mé féin a bhá san abhainn.' Deir an bhean go bhfuil sí ag déanamh a díchill di. Tugann sí ainm teach tearmainn di.

Radharc x

Tá na hógmhná sa seomra níocháin sa teach tearmainn ag obair. Tagann Seáinín isteach. An chaint go léir ag na mná faoi 'tar éis an am' (nuair a bheidh an leanbh ann). Bíonn spórt acu le Seáinín. Tagann an t-oibrí sóisialta arís. Tá altramaithe faighte aici do leanbh Mháire. Tá fearg ar Mháire; níl sí toilteanach a leanbh a thabhairt suas. Tá plean aici post a fháil i monarcha agus ansin go mbeidh árasán aici féin.

Gníomh II

Radharc i

An mhonarcha. Tá aturnae 1 agus aturnae 2 ann ag ceistiú an bhainisteora. Fear cainteach lách dea-chroíoch is ea é. Rinne sé a dhícheall di. Nuair nár tháinig sí ar ais ag obair i mí an Mhárta chuaigh mátrún na mban chun í a fháil, ach bhí Máire imithe, mar gur thit an teach lóistín síos.

Radharc ii

Lasmuigh den teach lóistín; bean an tí ag insint an scéil. Daoine á ceistiú: cé hí Máire? Ligeann sí uirthi gur Bean Uí Laoire í, baintreach, cé go bhfuil a fhios ag roinnt de na mná go bhfuil Máire ag cur dallamullóg orthu. Nuair a thit an teach bhí Máire amuigh agus a hiníon ina haonar. Déanann beirt bhan pearsantacht Mháire a chíoradh, í neamh-mhuinteartha. Tugann Mailí go dtí a teach í.

Radharc iii

Mailí agus na haturnaetha. Is leasc leo í a cheistiú. Fianaise ó Mhailí: cailín dílis is ea Máire; níl sí doicheallach.

Radharc iv

Teach Mhailí. Tugann sí íde béil do Mháire; tá féintrua ag Máire, dar léi. Caithfidh Máire airgead a fháil ó athair an linbh. 'Aingeal dubh' a ghlaonn Mailí uirthi féin. Faigheann sí teach do Mháire saor in aisce ach é a choimeád glan.

Radharc v

Fianaise Choilm. 'Ná cuirtear an milleán ormsa!'

Radharc vi

An caife. Comhrá idir Máire agus Colm. Faigheann sí a lán eolais uaidh faoina teaghlach féin. Seán: 'Tagann an t-éadach dubh go breá leis.' Deartháir eile le pósadh. Phós Pádraig arís: cailleadh a chéad bhean. Téann sí abhaile go tobann; cloiseann sí glór Phádraig gan choinne. Geiteann sí. Tá sé 'ar chuairt' chuig Mailí le Colm. Bíonn comhrá aici leis. Diúltaíonn sé féachaint ar Phádraigín, a leanbh féin! Níl meas dá laghad aige uirthi: 'Is beag is ionann idir tú féin agus Mailí—a striapach.' An áit nach mbíonn an meas ní bhíonn an grá.

Radharc vii

Fianaise Mhailí. Tháinig sí ar Mháire agus an leanbh: 'Bhí ceann an linbh san oigheann aici . . . bhí an bheirt acu fuar marbh romham . . . Ní cheadódh sí an leanbh a dhul uaithi i ndorchacht na síoraíochta gan í féin a dhul in éineacht léi.' Macalla ghlór Mháire: 'Tá sí saor. Tá sí saor.'

Radharc viii (8)

An reilig. Na haisteoirí go léir. An bhreith: dúnmharú agus féinmharú. Thréig gach duine Máire, ach amháin Mailí, go mór mór a muintir. 'Ná cuir an milleán orm. Ná bítear ag féachaint orm.' Ní raibh oiread is dea-fhocal le rá ag aon duine seachas Mailí. Deir Seáinín: 'Bhris sí na rialacha, agus an té a bhriseann rialacha an chluiche caílltear ann é.'

5
Na pearsana sa dráma

Léirítear na pearsana ar bhealach an-shimplíoch. Tá siad dílis nó fealltach, maith nó olc. Tá an cead seo ag an scríbhneoir. Ní dhíríonn sí go ró-dhomhain isteach sna pearsana ach amháin i gcás Mháire agus Phádraig, na príomhphearsana.

(1) Bean Uí Chathasaigh (máthair Mháire)

Feicimid an mháthair den chéad uair agus í ag tabhairt fianaise os comhair na cúirte (gníomh II, radharc iv). Baintreach is ea í; fuair a fear céile bás, agus saolaíodh leanbh di trí mhí ina dhiaidh sin. Bhí uirthi obair go dian ar an bhfeirm (líne 29): 'Fágadh mise i mo sclábhaí agus gan duine ann a thógfadh lámh chun cabhrú liom.' Bhí uirthi a lán íobairtí a dhéanamh ar son a páistí. Tá sí fuarchúiseach ach cráifeach ag an am céanna. Teastaíonn uaithi go mbeidh 'Seán ina shagart agus Máire sna mná rialta agus Liam i mbun na feirme.' Leagann sí amach an saol a theastaíonn uaithi dá clann. Ba ghnás nó uaillmhian é sin i measc mhuintir na hÉireann sna laethanta sin.

Tá sí an-dian ar a clann (líne 36–7). Arsa Seán: 'Níl aon réasún ag Mam.' Tá sí an-údarásach; ní éisteann sí lena gcuid tuairimí. Deir Seán go bhfuil sí níos déine ar Mháire ná ar an mbeirt acu: 'Is déine í ar Mháire ná ar an mbeirt againn—ní ligeann sí áit ar bith í.' Bíonn ar Liam agus Máire éalú tríd an bhfuinneog chun bualadh lena leannáin.

Feicimid muintir an tí ar a nglúine agus an Choróin Mhuire á rá acu. Is minic a labhraíonn máthair Mháire i dtaobh cúrsaí creidimh (líne 39): 'Tá mé ag dul go dtí mo sheomra chun mo phaidreacha a chríochnú agus chun a iarraidh ar Dhia na Glóire mé a neartú chun an t-ualach trom seo a leag sé orm a iompar . . . ' Is beag an charthanacht a fheicimid inti nuair a fhaigheann sí amach go bhfuil Máire ag iompar clainne.

Duine fimíneach is ea í. Tá sí buartha faoi thuairimí na gcomharsan—'ag síneadh na méire fúm agus ag magadh fúm má théim ar aonach nó fiú chun Aifrinn Dé Domhnaigh.' Ceapann sí gur mór an peaca leanbh a bheith ag bean shingil. De dheasca sin tá sí lánsásta iarracht a dhéanamh gin Mháire a mharú: 'Ól é seo: socróidh sé sin thú!'

Tá sí an chrua-chroíoch. Beireann sí greim ar Mháire agus croitheann sí í; inniu thabharfaí droch-íde leanaí air seo! Tá Máire ceanndána agus mígheanmnaí, dar léi.

Nuair a léiríonn an t-aturnae di go bhfuil sí róbhuartha faoi thuairim na gcomharsan agus nár thaispeáin sí grá máthar do Mháire, tá sí údarásach: 'Í féin a tharraing an trioblóid uirthi féin.' Ní haon pheaca é deireadh a chur le rud neamhghlan. Ach diúltaíonn Máire leis an dá réiteach atá ag an máthair: 'fáil réidh leis an leanbh nó dul go Sasana.'

Guíonn an mháthair mallacht Dé ar a hiníon féin. Mar bhuille scoir glaonn sí 'striapach' uirthi. Cuireann sí a mallacht ar 'an duine a tharraing an náire orainn' agus ar Mháire freisin. Is dócha go bhfuil Máire scanraithe faoin mallacht seo. Nuair a thugann an t-oibrí sóisialta comhairle do Mháire dul abhaile deir sí gurbh fhearr léi í féin a bhá ná dul ar ais abhaile.

I ndeireadh na dála, an féidir leis an léitheoir aon trua a bheith aige don mháthair? Ar shlí amháin caithfimid a admháil go raibh saol crua aici, í lag agus gan a bheith ábalta seasamh ar a bonnaibh féin i gcoinne na gcomharsan. Ach ní thaispeánann sí aon rian den aiféala nuair atá Máire agus a gariníon marbh. Sa reilig deir sí: 'Ná bítear ag féachaint ormsa, ní ormsa is cóir an milleán a chur. Thóg mise í go creidiúnach agus go Críostúil. Cad eile a d'fhéadfainn a dhéanamh di?'

Achoimre

- Bean an-údarásach is ea í.
- Tá sí ródhian ar a clann.
- Tá sí crua-chroíoch.
- Bean lagmheasartha is ea í.
- Tá sí mailíseach.
- Bean fhimíneach is ea í.

(2) Pádraig Mac Carthaigh

Úsáideann an t-údar an t-iardhearcadh chun cúlra an scéil a thabhairt dúinn. Cuirtear Pádraig Mac Carthaigh os ár gcomhair den chéad uair nuair a thugann an t-údar sinn ar ais go dtí an rince sa teach scoile. Duine mór le rá é Pádraig Mac Carthaigh, dar leis féin. Nuair a chuirtear é agus Máire Ní Chathasaigh in iúl dá chéile den chéad uair tá sé mórtasach: 'Chonaic mé tú ag an searmóin—mar sin a bhíonn an scéal ag an máistir scoile, nach ea? É ina theagascóir gan onóir i gcaitheamh na seachtaine, ina shéiplíneach gan ord maidin Dé Domhnaigh . . . '

Cuireann sé an-suim i Máire, go mór mór nuair a insíonn sí dó go bhfuil súil ag a máthair go mbeidh sí ag dul isteach sna mná rialta. Síleann Pádraig go bhfuil Máire neamhurchóideach agus go bhfuil sí faoi smacht a máthar—'cailín óg agus gan taithí aici ar rincí . . . Eagla uirthi roimh na mic tíre!' Ach is cuma leis. Siúlann sé abhaile in éineacht léi. Gan mórán moille tá sé ag iarraidh í a mhealladh le briathra binne agus caint ghlórmhar: 'Féach solas na gealaí . . . Féach na duilleoga . . . ' (líne 26). Níl sé sásta leis an gcur síos ar an nádúr ach déanann sé é a mholadh go hard na spéire: 'd'éadan geal leathan, d'aghaidhín bheag mhórmhar . . . daon fhiántas . . . dhá shúil.' Caitheadh amach as an gcoláiste agus é ag dul le sagartóireacht: 'Chuir sé chun siúil mé' (líne 27).

Ní chuireann sé dallamullóg uirthi: insíonn sé di go bhfuil sé pósta, ach galar gan leigheas atá ag a bhean. Tá Máire 'ró-óg agus neamhurchóideach,' dar leis (líne 28); ach taispeánann sé an iomarca den féintrua anseo (líne 27). Tuigeann sé go ró-mhaith go bhfuil sé ag tarraingt trioblóid air féin agus ar a theaghlach. Níl uaidh ach a dhúil ainsrianta féin a shásamh. 'Ná hinis gach aon ní do do mháthair.' Is dócha go dtuigeann sé go bhfuil sé ag cur Máire ar bhealach a haimhleasa.

Feictear gaois na haoise agus baois na hóige sa chaidreamh idir Máire agus Pádraig. Cé go bhfuil a fhios ag Máire nach duine ionraic ar fad é Pádraig, tá sí i bhfostú aige agus smacht iomlán aige uirthi. Nuair a insíonn Pádraig di go bhfuil sé pósta, glacann sí leis mar atá sé. Ní ligeann a neamhurchóideacht an fhadhb sin a iniúchadh. Éisteann sí leis agus a chás féin á phlé aige. Rud éigin neamhshaolta a bhaineann leis a bhean féin, dar leis. Tá an rud céanna á rá aige faoi Mháire: 'rud éigin neamhshaolta cosúil leatsa . . . a Mháire.' Níl a fhios aige cad atá uaidh: 'Galar gan leigheas é, níor fhéad sí riamh a bheith ina bean chéile cheart dom.' Samhlaíonn Pádraig go bhfuil Máire ró-óg agus ró-neamhurchóideach chun an saol pósta seo a thuiscint. Cé go bhfuil Máire imníoch faoin scéal seo, éisteann sí leis gan a tuairimí féin a nochtadh dó.

Nuair a bhuaileann Pádraig le Máire ag an ionad coinne—an teach scoile—is léir gur plámásaí amach is amach é. Tá sé ar bís, ach leanann sé ar aghaidh lena chuid cainte mealltaí bréagaí: 'Ba mhaith liom a fhógairt don saol gur mise do leannán agus gur tusa mo stór.' Taispeánann sé seo go dtuigeann sé go bhfuil éagóir á déanamh aige ar a bhean féin, ach ní chuireann sé seo isteach air. B'fhearr leis an grá seo a choimeád ina run daingin: 'Ná hinis gach aon ní do do mháthair . . . Dá mbeadh a fhios ag an sagart tú a bheith ag teacht anseo.'

Is é a leas féin a shantaíonn sé, an fear bocht. 'Blianta de phurgadóireacht dom féin agus dise.' Cuireann sé iallach ar Mháire a grá a thaispeáint dó—'Abair go bhfuil grá agat dom'—ach gan a ainm a lua le haon duine, agus 'Ná scríobh chugam.' Tá coimhlint in aigne Mháire idir dhá riachtanas, riachtanas a insíonn a coinsias léi gur peacúil an grá seo agus riachtanas a dílseachta do Phádraig; ach is cuma le Pádraig é seo: 'Ná tráchtar liom ar pheaca.' Is dócha gur laigí Mháire agus cumhacht mhealltach an fhir a chuireann ar mhíthreoir í. 'Caithfimid gan cuimhneamh air sin.' In ainneoin sin, glacann sí leis an bhfáinne uaidh. 'Is tú mo bhean feasta—is tú mo bhean chéile.'

Ní insítear dúinn cad a tharlaíonn ina dhiaidh sin, ach is leor nod don eolach. Tá Máire buartha cráite, ach níl sí sásta deireadh a chur leis an gcaidreamh: 'Is gránna agus is suarach an cuimhneamh againn é. Is peaca é.' Tréigeann Pádraig go luath í sa chaidreamh. Nochtann Máire a smaointe pearsanta féin dúinn ina monalóg (líne 42): 'Rinne tú do chuid féin dom.' B'fhéidir sa lá atá inniu ann go dtabharfaí 'éigniú coinne' air seo. Ach fós féin tá rud speisialta idir an bheirt acu, dar le Máire: 'Ní mórán a bheidh agam choíche díot, a Phádraig, ach an méid atá ní scarfaidh mé leis go deo.'

Ní bhuailimid le Pádraig arís go dtí gníomh III, radharc viii. Taispeántar chomh neamhbhuan is atá an grá nuair a insíonn Colm, cara Phádraig, di go bhfuil bean Phádraig marbh agus Pádraig ina bhaintreach fir agus é ar thóir na mban arís (líne 84). Tá an dúil sna mná folaithe go domhain i gcroí Phádraig: ní luaithe a bhean san uaigh go bhfuil sé sa tóir at an máistreás óg. Ní thuigeann Máire fós an staid ina bhfuil sí. Scríobhann sí a smaointe pearsanta; tá sé soiléir go bhfuil sí dúnta i ngrá fós ag Pádraig: 'Tá a fhios agam go dtiocfaidh tú lá éigin.' A mhalairt ar fad a tharlaíonn, áfach. Bean thréigthe atá againn anois, an scéal athraithe.

Nuair a thagann Pádraig go dtí teach Mhailí, teach an mhí-chlú, agus é beagán ólta, titeann an lug ar an lag uirthi. Anois, den chéad uair, tuigeann sí cén sórt duine é Pádraig. Diúltaíonn sé féachaint ar leanbh Mháire, Pádraigín. Insíonn sé di go bhfuil sé pósta. Den chéad uair i gcuideachta Phádraig taispeánann Máire go bhfuil sí údarásach ar bhealach: 'Bhí ort í siúd a phósadh—mheall tú í mar a mheall tú mise.' Gan dabht ar bith is ainnis an pictiúr a thugtar dúinn den ghrá idir Pádraig agus Máire—grá leatromach. Ní haoibhneas ach brón, díomá agus briseadh croí a fhágann Pádraig ina dhiaidh.

Feictear i ndeireadh an dráma gurb é Colm, a chara, a thuigeann Pádraig ar bhealach agus a thugann léiriú cruinn air: 'Fear fuinniúil groí.' Tuigeann Colm go bhfuil drúis agus ainmhian chorpartha ag baint leis: 'Chuir sé bean agus phós sé bean in aon bhliain amháin.' Is beag meas atá ag Pádraig ná ag Colm d'aon bhean, dar leo féin. Níl Máire soineanta amach is amach; mar sin ba cheart dó féin agus do Phádraig 'deoch sláinte a ól do gach aon óinsín tuaithe ar leor focal bog bladrach chun í a mhealladh.' Is beag meas atá ag ceachtar acu di. Ní mian le Pádraig a iníon ná a leannán a fheiceáil arís. Is beag dóchas atá fágtha ag Máire nuair a thugann Pádraig striapach uirthi. Ní chuirtear an ruaig ar Phádraig óna cheantar sa tslí chéanna ar cuireadh an ruaig ar Mháire. Tá a fhios ag an saol go bhfuil fear éigin ciontach!

Feicimid Pádraig ar bhruach na huaighe gan aon fhocal a rá. Ní fheadar cad air a bhfuil sé ag smaoineamh. Is aige féin amháin atá an freagra.

Achoimre

1. Fear fimíneach is ea é, iarábhar sagairt agus múinteoir scoile.
2. É ina phlámásaí amach is amach.
3. É leithleach.
4. Tá dímheas ar mhná le brath ina chuid geáitsí.
5. Fear glic cliste is ea é.
6. Buachaill báire is ea é.

(3) Máire

Is é cás tragóideach Mháire is bun leis an dráma seo; mar sin, is í Máire an phríomhphearsa sa scéal. Téann Máire—ógbhean shimplí neamhurchóideach—go dtí rince sa teach scoile, mar tá an sagart paróiste ina bhun. Ar an drochuair, cuirtear Pádraig Mac Carthaigh in aithne di. Cuireann Pádraig faoi dhraíocht í lena chaint fhileata: 'cailín deas óg . . . eagla uirthi roimh na mic tíre . . . solas na gealaí, cumhracht san aer.' Níl taithí ag Máire ar chaint dá leithéid seo, go mór mór nuair atá sé plámásach: 'd'éadan geal leathan . . . d'aghaidhín bheag mhómhar . . . don fhiantás id' shúile.'

Tá rud éigin 'neamhshaolta ag baint léi,' dar le Pádraig (gníomh I, radharc iii); ach tá sí ró-óg agus ró-neamhurchóideach chun cúrsaí an tsaoil a thuiscint. Creideann sí gach uile fhocal a labhraíonn Pádraig. Níl ag teastáil ó Phádraig ach ainmhianta doshrianta na colainne a bhlaiseadh, agus is í Máire an baoite chuige sin.

Deir Máire linn ag tús an dráma nach mbeidh a hiníon 'ina hóinsín bhog ghéilliúil ag aon fhear'—go mbeidh sí 'saor.' Tá sé ríshoiléir mar sin go bhfuil ciall cheannaithe aici ar shlí. Tá sé léirithe aici go bhfuil sí féin ina 'hóinsín' ag Pádraig. Mheall Pádraig í, agus tá seo ag cur imní uirthi. 'Is minic mé á chuimhneamh go bhfuil éagóir á déanamh againn uirthi'—í ag caint faoi bhean Phádraig. Bíonn Máire goilliúnach soghonta agus í le Pádraig; ach éiríonn le Pádraig í a chur faoi gheasa. Cuireann sé ina luí uirthi gur rud 'beannaithe' atá eatarthu—'ach caithfidh sé a bheith ina rún eadrainn.'

Ós rud é nach bhfuil aon duine, deirfiúr nó cara, chun caint léi nuair a chuireann Pádraig fáinne ar a méar, is geall le pósadh é. 'Is tú mo bhean feasta, is tú mo bhean chéile.' Luann Pádraig na rialacha go léir atá aige maidir leis an gcaidreamh: gan a ainm a lua le haon duine; gan scríobh chuige riamh; ach 'dá mbeinn saor . . . ' Creideann Máire gach a bhfuil á rá aige;

is dócha go bhfuil sí ag tnúth leis an lá a bheidh a bhean chéile marbh agus iad pósta. Cuireann Pádraig dallamullóg uirthi, gan dabht. Síleann sí nach bhfuil dabht ar bith air ná go bhfuil Pádraig go mór i ngrá léi.

Chomh luath is a fhaigheann Pádraig amach go bhfuil sí ag iompar linbh, fágann sé í; tréigeann sé an leanbh freisin. 'A Phádraig, ní raibh tú romham anocht mar a gheall tú.' Nuair a théann Máire ar faoistin, ritheann sí amach, mar níl sí ábalta glacadh le comhairle an tsagairt, is é sin a leannán a fhágáil. Tá a fhios againn mar sin go bhfuil sí ag dul síos bóthar a haimhleasa.

Ach tá an phraiseach ar fud na mias nuair a fhaigheann a máthair amach go bhfuil sí ag iompar clainne. Gan an dara smaoineamh, déanann an mháthair chruachroíoch iarracht ar an ngin a mhilleadh le deoch. Toisc gur thóg sí Máire 'go creidiúnach agus go Críostúil,' 'ní aon pheaca deireadh a chur le rud neamhghlan, rud a bhí mallaithe ag Dia agus ag an duine.' Cuireann sé seo brú uafásach ar Mháire anois. Tá sí ina haonar, tréigthe ag a deartháir, tréigthe ag a leannán agus ag a máthair.

Cuireann a máthair mallacht uirthi; glaonn sí striapach uirthi, agus ruaigeann sí ón teach í. Feicimid go bhfuil láidreacht ag baint le Máire anseo: 'An ród atá romham caithfidh mé aghaidh a thabhairt air i m'aonar' (gníomh I, radharc vii).

Nuair a théann sí i mbun oibre do Bhean Uí Chinsealaigh, fostaíonn sí í ar £2 10s sa tseachtain, cé go raibh £4 luaite san fhógra a chuir sí sa nuachtán. Tá cúram mór ar Mháire, mar tá cúigear clainne ag Bean Uí Chinsealaigh. Oibríonn sí go sásúil; ach nuair a fhaigheann Bean Uí Chinsealaigh amach go bhfuil Máire torrach, tugann sí an bóthar di: 'Cad a déarfadh na comharsana!' Deir an t-aturnae agus é ag cur ceisteanna ar Bhean Uí Chinsealaigh: 'Ba chuma leat caidreamh a bheith le coirpeach,' mar ní bhfuair sí teastas ó aon duine nuair a thosaigh Máire ag obair di. Rinne sí dúshaothrú uirthi; ach cuireann sí in aithne í don oibrí sóisialta.

Nuair a chomhairlíonn an bhean seo di dul abhaile go dtí a muintir, b'fhearr le Máire 'í féin a bhá san abhainn.' Deir an t-oibrí sóisialta agus í ag caint leis an aturnae go bhfuil Máire 'stuacach ceanndána'; ach toileann sí dul isteach sa teach tearmainn.

Sa radharc deireanach de ghníomh I feicimid Máire sa teach tearmainn le Mailí, Dailí, Pailí, agus Nábla, agus í ag seasamh ar a bonnaibh féin. Deir Seáinín an Mhótair fúithi go bhfuil sí cosúil le 'nóinín i measc na neantóg.' Feasta feicimid a cuid neamhurchóideachta, mar ní thuigeann sí téarmaí ar nós 'altramaí'; bíonn ar Phailí é a mhíniú di. Baintear geit uafásach as Máire nuair a mhíníonn Pailí 'rialacha na haltramachta' di. Nuair a insíonn an t-oibrí sóisialta di go bhfuil altramaithe faighte aici di, diúltaíonn sí na cáipéisí a shíniú. Feicimid Máire fásta suas anseo: 'Is mise an t-aon tuismitheoir atá aici.' Tá sí sásta obair a fháil i monarcha, agus a hárasán féin a bheith aici nuair nach bhfuil Bean Uí Chinsealaigh toilteanach í féin agus a leanbh a choimeád sa teach. 'Ní baol go ndéanfainn truailliú uirthi féin ná ar a clann iníon.'

Tugann bainisteoir na monarchan 'post deas bog' di: ag glanadh na leithreas. Nuair a thiteann an teach lóistín ar a leanbh, ní théann sí ar ais chuig an bpost. Tá an t-ádh ar Mháire go raibh Mailí ar an láthair nuair a thit an teach. Tugann Mailí abhaile léi í; is é an chéad uair a taispeánadh carthanacht do Mháire. Tugann bean an tí seomra di saor ó chíos ach an teach a choimeád glan. Comhairlíonn Mailí di 'féachaint roimpi, agus cabhair a fháil ó athair an linbh'; ach a mhalairt ar fad a theastaíonn ó Mháire: 'B'fhearr liom bás den ghorta.'

Ag an am seo tá Máire i mbarr a céille, nuair a thagann Pádraig agus é beagán ólta go dtí teach an mhíchlú. Tá Máire i ndeireadh na feide nuair a ghlaonn Pádraig 'striapach' uirthi. Ní féidir léi níos mó a fhulaingt. Is í Mailí a thagann ar an mbeirt acu ina luí fuar marbh. Diúltaíonn Pádraig féachaint ar a iníon, Pádraigín: 'Ní mian liom í a fheiceáil.' Tá a fhios ag

Mailí nach ligfeadh Máire don leanbh dul uaithi i ndorchacht na síoraíochta gan í féin in éineacht léi.

Tugann Máire a breithiúnas féin ar an bhfadhb ina bhfuil sí: 'Mharaigh mé mo leanbh de bhrí gur cailín í.' Bhí an bheirt acu saor anois, dar léi—saor ó chairdeas bréige mímhacánta, ó shaol fimíneach, agus ó shlíbhín neamhthrócaireach leithleach. Mar bhean dhílis, níor luaigh sí riamh ainm an fhir a rinne feall uirthi (glór Mháire, líne 19).

(4) Mailí

Ní ghlactar leis an bpríomhphearsa, Máire Ní Chathasaigh, ina teach féin, ina paróiste féin, san ionad oibre, san eaglais, nó fiú amháin i measc strainséirí. Níl cabhair le fáil aici ach amháin ó Mhailí, striapach—bean eile atá imeallaithe ag an tsochaí. Ón uair a insíonn an t-oibrí sóisialta do Mháire go mbeidh sí ag dul isteach i dteach tearmainn, 'áit ina mbeidh na cailíní eile mar chomhluadar agat,' is í Mailí an t-aon duine a thaispeánann cairdeas agus cineáltas di.

Feictear go bhfuil caidreamh maith idir Mailí agus na mná eile sa teach tearmainn. Nuair a thagann Seáinín an Mhótair isteach sa seomra níocháin, taispeánann Mailí go bhfuil féith an ghrinn inti. Cruinníonn roinnt de na mná, Mailí ina measc, mórthimpeall ar Sheáinín, á ghriogadh. Níl mórán ag déanamh buartha di, dar le Mailí, í go glégheal ag iarraidh 'aon scéal nua, pósta, baiste, sochraid.' Déanann sí ceap magaidh de Sheáinín. Nuair a ghlaonn Seáinín 'nóinín i measc na neantóg' ar Mháire, déanann Mailí iarracht ar sprid nó áthas a chur ar Mháire: 'Mo ghraidhin thú, a Mháire Ní Bhriain, tá Seáinín an Mhótair clóite agat.' Cé go bhfuil Mailí deisbhéalach, ag an am céanna tuigeann sí rialacha an teach tearmainn. Nuair nach bhfuil Pailí, Dailí nó Nábla sásta na beartáin a thabhairt do Sheáinín, tugann Mailí dó iad, ionas nach mbeidh an mátrún anuas orthu. Níl ach an 'cheathrú cuid d'fhear sa seargáinín,' dar le

Mailí. Is mór an tógáil croí a thugann sé di, agus tá sé buíoch de sin.

Nuair a théann Máire isteach sa teach tearmainn tá Mailí ag ullmhú chun 'droim láimhe' a thabhairt don áit, í lánsásta, altramaí faighte aici agus cead a cos aici arís. Tá ionadh an domhain ar Mhailí nuair a insíonn Máire di nach dtuigeann sí cad is altramaí ann. Cé go dtaispeánann Mailí go bhfuil fearg uirthi faoi Mháire agus go nglaonn sí 'óinsín tuaithe' uirthi, níl sí claonta, agus ní dhéanann sí an dearcadh atá ag Máire faoi altramaithe a iniúchadh go géar. Tuigeann sí go bhfuil tuairimí áirithe ann, agus a tuairimí féin ag Máire.

Diúltaíonn Mailí an post mar 'chúntóir tís' a fuair an t-oibrí sóisialta di: tá 'slite níos boige agam chun airgead a thuilleamh,' dar léi. Ní theastaíonn uaithi 'sclábhaíocht ar feadh dhá uair an chloig déag.' Glacann sí le soineantacht Mháire nuair a fheiceann sí go bhfuil Máire fiosrach fós faoi chúrsaí altramachta; tá sí lách léi, agus tugann sí comhairle di, is é sin 'go bhfuil nithe ann nach ndéantar trácht air.' Ionas nach mbeidh Máire buartha faoina bhfuil i ndán do Mhailí, insíonn sí di go bhfuil obair faighte aici i monarcha. Cé go nglaonn Mailí 'óinsín cheart' ar Mháire arís, deir sí go bhfuil sí ceanúil uirthi ag an am céanna.

Nuair a thiteann an teach anuas ar Mháire, is í Mailí an t-aon duine a thagann i gcabhair uirthi. Tá Máire buartha agus imníoch, agus ní aithníonn sí Mailí. Ach is anseo atá an chéad taispeántas den chairdeas ón gcomhluadar le Máire: 'Is sinne do chairde . . . Nach cuimhin leat Mailí.' Nuair a thugann Mailí a cuid fianaise do na haturnaetha, is léir go bhfuil sí ábalta seasamh ar a bonnaibh féin. Léiríonn sí 'nach raibh teach doicheallach aici, nár thóg sí airgead ó Mháire.' Nuair is léir di nach bhfuil na haturnaetha sásta leis seo, níl eagla dá laghad uirthi rompu—'don diabhal leis an mbeirt agaibh'—agus amach léi.

Ní ghlacann Mailí le 'féintrua' Mháire: 'Croith suas tú féin, ná bí suite i gcónaí ag déanamh trua duit féin.' Tá Mailí lánsásta an méidín suarach atá aici a thabhairt do Mháire, ach ag an am céanna cuireann sí ina luí uirthi gur cheart go gcabhródh 'athair an linbh léi.' Aontaíonn sí le Máire nuair a insíonn Máire di nach dteastaíonn aon chabhair 'ón athair sin!' Faigheann sí lóistín agus post di sa teach céanna, ionas nach mbeidh uirthi dul amach ag obair. Glaonn Máire aingeal uirthi, ach 'aingeal dubh' í dar léi féin. Nuair a chuireann Máire lámh ina bás féin agus a mharaíonn sí a leanbh, is í Mailí a thagann ar na coirp agus a thugann an fhianaise sa chúirt. Tosaíonn sí ag caoineadh go faíoch; cailín dílis ba ea Máire, dar léi. 'Bhí ceann an linbh san oigheann aici agus an gás ag éalú ina lán neart. Mharaigh sí an leanbh—an leanbh a raibh oiread sin ceana aici uirthi' (líne 88).

(5) Áine Ní Bhreasail (an t-oibrí sóisialta)

Is beag forbairt a dhéantar ar na fophearsana mar dhaoine sa dráma seo, agus ní haon eisceacht í Áine Ní Bhreasail. Buailimid léi den chéad uair i radharc ix. Feictear dúinn go bhfuil sí ar an taobh amuigh ag féachaint isteach ar na fadhbanna pearsanta atá sa dráma seo.

Tá Bean Uí Chinsealaigh buartha ón uair a fhaigheann sí amach go bhfuil Máire ag iompar clainne. Teastaíonn uaithi an bóthar a thabhairt do Mháire; ach ós rud é gur máthair í féin, tá dualgas uirthi teach tearmainn a fháil di. Ní thugann an t-oibrí sóisialta faoi deara go bhfuil Máire ag iompar linbh nuair a bhuaileann sí léi. Ní thaispeánann sí mórán trua di. Glacann sí le tuairimí Bhean Uí Chinsealaigh: taobhaíonn sí léi 'féachaint cad is féidir a dhéanamh.'

Tá an t-oibrí sóisialta fiosrach, ag iarraidh 'eolas do na cuntais.' Tá a fhios aici go rímhaith nach dteastaíonn ó Mháire an fhírinne iomlán a insint di. Tá sí á gríosadh 'chun dul abhaile chuig a muintir'; b'fhéidir go ndéanfadh sé seo níos éasca di an fhadhb a réiteach. Is dócha nach dtuigeann an t-oibrí sóisialta nach bhfuil caidreamh maith idir Máire agus a máthair. Ní thaispeánann sí aon bhá do Mháire. Ní luann sí riamh go bhfuil Máire ag tnúth le leanbh, ach déanann sí tagairt dá 'trioblóidí': 'Cailín mar thú féin . . . saol nua á oscailt amach romhat.' Ní thugann sí comhairle ar bith di ach 'dearmad a dhéanamh ar na cúrsaí truamhéileacha seo.' Ní dhéanann sí aon iarracht cabhair a thabhairt do Mháire, mar is dócha nach dtuigeann sí aigne Mháire; ní smaoiníonn sí riamh go mbeadh Máire ag coimeád a linbh agus go mbeadh sí ina máthair shingil.

Nuair a cheistíonn an t-aturnae an t-oibrí sóisialta faoi bhás Mháire, tá sí lánchinnte go ndearna sí gach rud mar ba chóir di. Tá an t-easnamh carthanachta soiléir anseo: níl le rá aici ach go raibh Máire 'stuacach ceanndána.' Déanann mátrún an teach tearmainn an tuairim a threisiú: ní raibh aon dabht uirthi ná go raibh Máire 'dúr neamhchainteach.' Ní dhearna sí iarracht ar bith bheith cineálta; ar nós gach duine dá muintir féin, rinne sí iarracht í a smachtú.

Buailimid arís leis an oibrí sóisialta i seomra níocháin an teach tearmainn. Tá sean-aithne ag na mná anseo ar an oibrí sóisialta. Is beag an meas a léiríonn siad di: 'Áine an bhéal bhinn' a ghlaonn siad uirthi. Tá cairdiúlacht bhréige ina cuid cainte. Is léir go dtaobhaíonn sí leis an uasaicme, mar 'daoine creidiúnacha macánta na haltramaithe,' dar léi. Cuireann sí iallach ar Mháire na cáipéisí a shíniú. Ní thuigeann sí an ceangal idir Máire mar mháthair agus a leanbh. Is cosúil go bhfuil job le déanamh aici agus nach dteastaíonn uaithi fadhb Mháire a iniúchadh go róghéar. B'fhearr léi tuismitheoirí a thabharfadh grá do Phádraigín, seachas Máire 'ag gléasadh an leanbh go péacógach.' Ní thugann sí seans do Mháire, bheadh Máire ag cur a leanbh féin 'ar bhealach a haimhleasa,' dar léi. Níl sí ábalta idirdhealú a dhéanamh idir Bean Uí Chinsealaigh agus an bhean altramaithe atá faighte aici do Phádraigín; ach tá Máire ábalta é sin a fheiceáil. Mura bhfuil Bean Uí Chinsealaigh sásta an leanbh a thabhairt isteach sa teaghlach le

Máire, cén fáth a mbeadh sé ceart go leor í a chur isteach i dteach an altramaithe? Níl aon fhreagra ag an oibrí sóisialta ar an bhfadhb sin. Níl ó Mháire ach a 'toil féin a dhéanamh,' dar léi.

Leanann an t-oibrí sóisialta ar aghaidh lena plean féin, gan smaoineamh riamh ar mhothúcháin Mháire. Feictear dúinn go bhfuil Máire ar seachrán, ach ní chuireann sí Máire ar bhóthar a leasa—a mhalairt ar fad a dhéanann sí. B'fhéidir go bhfuil sí féin stuacach ceanndána; tá sí caolaigeantach agus an bharúil aici go ndearna sí a dícheall di. Ní thaispeánann sí pioc den charthanacht. Ligeann sí do Mháire—bean óg neamhurchóideach—an ród uaigneach a thaisteal ina haonar. Tríd an dráma is cosúil go bhfuil an dualgas atá ar an oibrí sóisialta don tsochaí i gcoimhlint leis an mbá ba cheart a mbeadh á thaispeáint aici do Mháire. Sin mar a bhí an scéal sa tréimhse sin.

(6) Seáinín an Mhótair

Buailimid le Seáinín den chéad uair i ngníomh I, radharc x. Tá suíomh an dráma anois i seomra níocháin an teach tearmainn. Tá cás Mháire curtha os ár gcomhar: cruálacht a máthar agus a muintire agus easpa tuisceana a grá. Tá Máire sa seomra níocháin agus í buartha cráite. Ritheann na mná go léir go dtí an fhuinneog nuair a chloiseann siad gluaisteán ag stad. Tá díomá de shórt orthu nuair a fheiceann siad cé atá ann. Ceapann siad nach fear é, cé go gcaitheann sé bríste. 'Is deacair a rá na laethanta seo cé air a mbíonn bríste agus cé air nach mbíonn,' dar le Mailí.

Tosaíonn siad ag fonóid faoi: 'Cé a dúirt go raibh fear ag teacht?' Firín feosaí meánaosta é Seáinín. Tá greann ar leith ina leasainm, 'Seáinín an Mhótair,' mar is dócha nach bhfuil aon tábhacht ag baint leis ach go bhfuil carr aige! Is léir go bhfuil na mná bréan den saol sa teach tearmainn. Tá siad ar bís ag feitheamh le nuacht faoi 'aon ní suaithinseach: bás, beatha, pósta, sochraid?' Glaonn siad 'a laoi liom' ar Sheáinín, agus deir Pailí go bhfuil 'gnúisín sheargtha' aige. Ach ní lia duine ná tuairim, agus taispeánann Seáinín go bhfuil sé deisbhéalach: 'Is sibh na mná rialta nár bheannaigh Dia ná duine,' agus é ag tagairt do na mná go léir sa teach. Tugann sé faoi deara go luath go bhfuil Máire éagsúil leis na mná eile: 'Cailín deas tusa, cailín deas óg . . . Nóinín i measc na neantóg.' Déanann sé iarracht ar chomhairle a leasa a thabhairt di: 'Mholfainn duit tú féin a sheachaint orthu seo, ní hé do leasa a dhéanfaidh siad.' Déanann sé iarracht tríd an ngreann agus an magadh na mná a spreagadh agus sos a thabhairt don lucht féachana.

Tá a fhios ag na mná go bhfuil Seáinín pósta agus clann aige sa bhaile, ach 'Is Elvis Presley na nGael é,' dar leo. Nuair atá na mná ag imirt cleasa air agus ag coimeád na beartanna uaidh, taispeánann sé go bhfuil ciall aige: 'Ní bheidh an mátrún buíoch díom má fhanaim thar chúig nóiméad anseo.'

Is léir nach maith leis bheith sa seomra níocháin, mar 'ní haon áit d'fhear Críostaí é seo,' dar leis. B'fhéidir go bhfuil náire air bheith i measc na mban; ach 'ba mhór an tógáil croí a thug tamall dá chomhluadar' dóibh, dar le Mailí, cé nach bhfuil ann ach an 'ceathrú cuid d'fhear'!

Tagann Seáinín isteach sa dráma arís nuair a thiteann an teach lóistín anuas ar Mháire agus a leanbh; tá sé ann chun na daoine gortaithe a thabhairt go dtí an t-ospidéal. Nuair nach bhfuil aon duine ag iarraidh lóistín eile a chur ar fáil do Mháire agus Phádraigín, léiríonn Seáinín a charthanacht. 'Tabharfaidh mé tú aon áit is mian leat,' ar seisean. Fiafraíonn sé níos déanaí, 'Cé a deir gur tír Chríostúil í seo, tír a thiomáineann Máire chun lámh a chur ina bás féin agus a leanbh a dhúnmharú.'

Níor dhírigh Máiréad Ní Ghráda go ródhomhain isteach i bpearsa Sheáinín; ach tá a thuairimí féin ag Seáinín maidir leis an tragóid seo. Sa reilig léiríonn sé gur bhris Máire na rialacha, agus 'an té a bhriseann rialacha an chluiche cailltear ann é.'

(7) Liam Ó Cathasaigh (deartháir Mháire)

Is é Liam an mac is sine sa chlann. Ós rud é go bhfuil plean ag an máthair go mbeidh Seán ina shagart, beidh an fheirm ag Liam. Beidh sé mar thaca di, mar baintreach is ea í. Ní insíonn sé an fhírinne dá mháthair: ligeann sé air nach bhfuil sé ag dul amach le Beití de Búrca, ach éalaíonn sé amach an fhuinneog nuair a bhíonn a mháthair ina codladh sámh. B'fhearr leis a mhianta féin a shásamh in ionad aire a thabhairt do Mháire.

Is dócha gur féidir linn cuid den mhilleán a chur ar Liam. Tá sé báite i bhféintrua i ndeireadh an dráma, ach níl aiféala ar bith air nár chabhraigh sé le Máire.

I dtosach an dráma, le linn do Liam bheith á cheistiú ag na haturnaetha, déanann sé tréaniarracht ar gach pioc den mhilleán a chur de. An deartháir is sine is ea Liam, agus dá bhrí sin cuireann an mháthair iallach air Máire a thabhairt go dtí an rince. Nuair a thugtar Liam os comhair an aturnae is gasta a nochtann sé a thuairimí féin dó: 'Ní ormsa is cóir aon phioc den mhilleán a chur . . . Ní mise a coimeádaí.' Tá comhluadar dá chuid féin aige, agus ceapann sé go bhfuil Máire aosta a dóthain chun an bóthar gearr a chur di ón teach scoile go dtí an baile. Is léir go bhfuil smacht ag a mháthair ar Liam, mar cuireann sí iallach air Máire a thabhairt go dtí an rince. Níl sé sásta glacadh le haon phioc den mhilleán, agus ní theastaíonn uaidh a fhios a bheith aige. Níos faide ar aghaidh sa dráma tá comhrá conspóideach idir Liam agus a mháthair. Ba mhaith le Liam dul go dtí teach na mBúrcach chun a chailín, Beití, a fheiceáil. Nuair a cheistíonn a mháthair é, insíonn sé bréag di. Taispeánann sé seo go bhfuil sórt eagla air roimh a mháthair: 'Níl aon tóir agam ar Bheití de Búrca.'

Ach cothaíonn bréag bréag eile, agus faigheann sé an lámh in uachtar ar a mháthair, mar tá plean aige dul amach an fhuinneog nuair a bheidh an mháthair ina codladh. Déanann sé amhlaidh, d'ainneoin go bhfuil sé ráite ag a mháthair 'go mbeidh sé i mbun na feirme mar thaca agus mar shólás dom.' Ligeann sé a smaointe féin le Seán: admhaíonn sé go bhfuil sé sa tóir ar Bheití—ach cén mhaith dó é agus é 'faoi smacht mo mháthar mar atáim.' Léiríonn sé fimíneacht a mháthar féin, mar tuigeann sé nach bhfuil ag teastáil uaithi ach, ar fhógra a báis, go mbeidh Seán ina shagart agus Máire sna mná rialta.

Cé go bhfuil sé ábalta an dallamullóg a chur ar a mháthair maidir le cúrsaí grá, déanann sé feall ar Mháire ar bhealach. Insíonn sé do Sheán nár ghlac sí Comaoineach Naofa maidin Dé Domhnaigh agus gur imigh sí amach an fhuinneog. Ach, i ngan fhios dóibh, tá an mháthair ag éisteacht. Nuair a thagann Máire ar ais óna 'hionad coinne' tá a máthair ag feitheamh léi. Faigheann an chlann go léir léasadh teanga. Tá a fhios ag Liam go bhfuil an phraiseach ar fud na mias anois! Tá Liam ar buile, agus cuireann sé an milleán go léir ar Mháire: 'Tá an oíche loite agat orm.'

Níl muinín ag a mháthair as Liam a thuilleadh. Briseann Beití an cleamhnas atá eatarthu. Nuair atá an leanbh ag a dheirfiúr agus í ina máthair shingil, níl Liam ábalta an phoiblíocht a fhulaingt. Cheapfaimis go mbeadh aiféala air faoin am seo, ach níl. Is beag rian den charthanacht a thaispeánann sé. Níl tuiscint ar bith aige ar a cás.

(8) Seán Ó Cathasaigh (deartháir Mháire)

Deartháir eile le Máire is ea Seán. Tá plean ag a mháthair go mbeidh sé ina shagart, agus é sin scríofa ina fógra báis: 'Ise ba mháthair do Sheán Ó Cathasaigh, sagart paróiste.' Ach ní mar a shíltear a bítear! Tá an mháthair ródhian ar a clann. 'Tá Mam dian orainn go léir ach is déine í ar Mháire ná ar an mbeirt againn.' Tá Seán fiosrach ann féin: 'Is minic a bhíonn sí [Máire] breoite.' Tá muinín ag Máire as Seán, ach déanann sé feall uirthi diaidh ar ndiaidh. Insíonn sé don mháthair 'go raibh sí breoite ar maidin,' agus 'ní ghlacann sí Comaoineach Naofa.' Nuair a chloiseann an mháthair an méid seo tá sí ar buile. 'A Sheáin, is tusa an t-aon duine amháin a bhfuil muinín agam as.'

Níl an t-aturnae sásta leis an tslí inar inis Seán gach rud faoi Mháire dá mháthair: tá Seán místuama agus míthuisceanach, dar leis. Ní thaispeánann sé pioc den charthanacht. Taobhaíonn sé le tuairimí a mháthar. Tarraingíonn Máire náire orthu, dar leis, 'náire i láthair na gcomharsan.' Ní smaoiníonn sé ar chúrsaí moráltachta, agus tá sé chomh nimhneach cruachroíoch céanna lena mháthair. Deir sé gur pheacaigh Máire in aghaidh Dé nuair a d'éirigh sí torrach agus 'Ba chóir bheith dian uirthi.'

Achoimre

1. Ar intinn aige dul le sagartóireacht.
2. Is é an t-aon duine eile é atá ródhian ar Mháire.
3. É lag fimíneach, tuairimí a chomrádaithe sa choláiste ag cur isteach air.
4. Níl sé ábalta seasamh ar a bhonnaibh féin—é lagmhisniúil.

(9) Colm Ó Sé

Cara dílis le Pádraig Mac Carthaigh is ea Colm Ó Sé. Buailimid leis den chéad uair ag an rince sa teach scoile; eisean atá ina mháistir rince. Iarrann sé ar Mháire amhrán a chasadh, agus canann sí 'Siúil, a Ghrá.' Cuireann sé Pádraig in aithne di: 'A Phádraig, tar anseo—seo Máire Ní Chathasaigh.' Insíonn sé di go bhfuil Pádraig ina mhúinteoir agus go bhfuil sé féin ina 'mháistir rince gan tuarastal san oíche.' B'fhéidir faoin am seo gurb eol do Cholm cén sórt duine é Pádraig; deir sé, 'Tabhair aire mhaith di, a Phádraig, tá sí ag dul sna mná rialta.'

Nuair a bhuailimid le Colm i ngníomh II, radharc v, tá sé ag caint leis an aturnae. 'Ná cuirtear an milleán ormsa—ní dhearna mise ach iad a chur in aithne dá chéile.' Nuair a ghabhann Máire trasna an stáitse aithníonn Colm láithreach í. Léiríonn sé anseo go bhfuil sé cosúil le Pádraig, ar bhealach, mar insíonn sé do Mháire go raibh sé ag smaoineamh uirthi ón oíche Bhealtaine úd a chan sí 'Siúil, a Ghrá.' B'fhéidir go bhfuil sé ag smaoineamh ar thoradh na hoíche sin agus go ndearna sé féin rud mícheart.

Is nasc é Colm idir Máire agus an saol atá fágtha ina diaidh. Insíonn sé di sa chaife go bhfuil a deartháir ag dul le sagartóireacht: 'Tagann an t-éadach dubh go breá dó . . . Tá do dheartháir eile le pósadh.' Cailleadh bean Phádraig: 'an t-aon feabhas atá uirthi tá sí marbh.' Nuair a insíonn sé di go bhfuil 'tóir ar na cailíní arís aige,' is dócha go dtiteann an lug ar an lag uirthi, agus imíonn sí gan mórán moille. Tá Colm ag iarraidh Máire a mhealladh amach: 'Bhí mé an-tógtha leat an oíche úd ar chuir mé Pádraig Mac Carthaigh in aithne duit.'

Nuair a thugann Pádraig agus Colm cuairt ar theach an mhí-chlú is beag an difríocht a fheicimid eatarthu. Molann sé Pádraig mar 'fhear fáidhiúil.' Ní léiríonn sé aon mheas ar na mná ach a mhalairt ar fad; tá sé binbeach searbhasach nuair a deir sé, 'Ólaimis sláinte gach aon óinsín tuaithe ar leor focal bog bladrach chun í a mhealladh.' An féidir linn an milleán a chur air? Ní dóigh liom é, mar ní raibh a fhios aige cad a tharla idir Pádraig agus Máire. Ach ina dhiaidh sin is uile ní fear creidiúnach é le bheith ina mháistir scoile. Léiríonn sé an dímheas a bhíodh ag fir ar mhná i gcoitinne agus an sórt sochaí a bhí ann an uair sin. Bhí ardmheas ag daoine ar shagairt, ar mhná rialta agus ar mháistrí scoile, fiú nuair a bhí siad fimíneach bréagchráifeach ina saol pearsanta.

(10) Bainisteoir na monarchan

Buailimid le bainisteoir na monarchan i ngníomh II, radharc i. Fear cainteach é a bhfuil fíricí agus figiúir ar bharr a theanga aige. Tugann sé trí phunt sa tseachtain do Mháire. 'Is mó é ná an gnáthráta pá dá leithéidí,' dar leis; 'sé scillinge san uair,' agus mar sin de. Beidh 'obair dheas bhog' le déanamh ag Máire, dar leis; is í an obair dheas bhog glanadh na leithreas.

Tá trua aige do Mháire, toisc gur inis sí dó gur baintreach í—Bean Uí Laoire an t-ainm bréagach a thug sí uirthi féin. Tá an fear seo cineálta di ar bhealach, agus tugann sé 'bronntanas beag airgid' di. Nuair nach dtagann sí ar obair i mí an Mhárta, téann an mátrún chun cainte léi, ach níl sí sa teach lóistín, mar níl a leithéid ann. 'Rud inmholta' is ea é seo, dar leis an aturnae. Tá a fhios ag na mná oibre gur thit an teach lóistín anuas i mí an Mhárta. Taispeánann sé seo nach raibh cumarsáid mhaith idir an bainisteoir agus an lucht oibre.

Ní dóigh liom gur féidir linn an milleán a chur ar an mbainisteoir, mar 'rinne sé a dhícheall di,' agus d'inis Máire bréaga dó. B'fhéidir dá mbeadh a fhios aige conas mar a bhí an scéal ag Máire agus a leanbh go dtabharfadh sé cabhair agus tacaíocht di.

6
Ceisteanna samplacha

1. 'Níl baint ar bith ag an dráma seo le saol an lae inniu.' Déan an tuairim sin a phlé.
2. Deir Máire: 'An ród atá romham caithfidh mé aghaidh a thabhairt air i m'aonar.' Cad atá i gceist aici leis an gcaint sin? Scríobh tuairisc ghairid ar ar tharla di ina dhiaidh sin.
3. 'An choimhlint idir dearcadh Mháire agus dearcadh a muintire is ábhar don dráma seo.' Déan an tuairim sin a phlé.
4. Deir Pádraig: 'Nach ait mar a imríonn an saol an cluiche ar dhuine. Dá bhféadfaimis breith ar an saol idir ár dhá láimh agus é a mhúnlú chun ár sástachta!' Déan cur síos ar an gcluiche a imríonn an saol ar Mháire sa dráma seo.

(i) 'Feicimid an dá thaobh de shaol na hÉireann sa dráma seo.' É sin a phlé.

nó

(ii) 'Dráma is ea é seo ar fiú staidéar a dhéanamh air ar a fheabhas atá an plota agus an charachtracht ann.' É sin a phlé.

(i) 'Cé a deir gur tír Chríostaí í seo?' (Seáinín an Mhótair). Déan cur síos ar an easpa Críostaíochta nó carthanachta atá léirithe sa dráma seo.

nó

(ii) 'Seachas Máire féin is beag dea-thréith atá in aon duine de na pearsana eile sa dráma seo.' É sin a phlé i gcás *aon bheirt* de na pearsana seo: Bean Uí Chathasaigh, Pádraig, Bean Uí Chinsealaigh, Mailí.

Ardteistiméireacht, 1997

(i) Inis cad é príomhthéama an dráma seo, agus scríobh tuairisc ar an bhforbairt a dhéantar ar an bpríomhthéama sin i rith an dráma.

nó

(ii) Scríobh tuairisc ar an bpáirt a ghlacann do rogha *beirt* díobh seo thíos sa dráma, agus ar an mbaint atá acu leis an bpríomhphearsa: Pádraig; an mháthair; Mailí.

Ceisteanna samplacha, 1997

(i) 'Ní éiríonn leis an dráma seo, toisc nach bhfuil aon inchreidteacht ag baint leis an bplota ann.' É sin a phlé.

nó

(ii) Luaigh agus léirigh príomhbhua amháin agus príomhlaige amháin a bhaineann leis an dráma seo, dar leat.

Ardteistiméireacht, 1998

(i) 'Dráma ina gcuirtear ceisteanna crua faoi shaol na hÉireann é *An Triail*.' É sin a phlé i gcás do rogha *dhá cheann* de na 'ceisteanna crua' sin.

nó

(ii) Scríobh tuairisc ar *dhá cheann* de na coimhlintí atá sa dráma seo idir na pearsana difriúla.

Ardteistiméireacht, 1999

(i) 'Briseadh rialacha agus sárú geasa is bun le tragóid go traidisiúnta.' Déan trácht ar *dhá cheann* de na rialacha a briseadh agus ar an gcaoi a gcabhraíonn briseadh na rialacha sin le gné na tragóide a léiriú sa dráma seo.

nó

(ii) Déan plé ar an bpáirt a ghlacann do rogha *beirt* díobh seo thíos sa dráma agus ar an mbaint atá acu leis an bpríomhphearsa: Seán Ó Cathasaigh, Bean Uí Chinsealaigh, Mailí, Seáinín an Mhótair.

Ardteistiméireacht, 2000

(i) 'Sa dráma seo scrúdaíonn an t-údar dearcadh mí-charthanach an phobail ar mháithreacha aonair.' É sin a phlé.

nó

(ii) Luaigh agus déan plé ar phríomhbhua amháin agus ar phríomhlaige amháin a bhaineann leis an dráma seo, dar leat.

Ardteistiméireacht, 2001

(i) 'Mharaigh mé mo leanbh de bhrí gur cailín í. Tá sí saor. Ní bheidh sí ina hóinsín bhog ghéilliúil ag aon fhear.' Déan plé ar an bpáirt a ghlacann na fir sa dráma seo agus ar an léiriú a dhéantar orthu.

nó

(ii) Déan trácht ar an tragóid a léirítear sa dráma seo agus ar an gcaoi a gcuirtear an tragóid sin os ár gcomhair.

Réamhscrúdú, 2001

(i) 'Ní éiríonn leis an dráma seo, toisc nach bhfuil aon in-chreidteacht ag baint leis an bplota ann.' É sin a phlé.

nó

(ii) 'Dráma is ea é seo ar fiú staidéar a dhéanamh air ar a fheabhas atá an chaint agus an charachtracht ann.' É sin a phlé.

nó

(i) 'Ní fheicimid ach taobh diúltach na bpearsan sa dráma seo ach amháin i gcás Mháire, an phríomhphearsa.' É sin a phlé.

nó

(ii) 'Is í an fhimíneacht an tréith dhaonna is suntasaí sa dráma seo.' É sin a phlé.

Sa scrúdú is leor *dhá leathanach* mar fhreagra.

Marcanna

Eolas:	35
Gaeilge:	5
Iomlán:	40

7
Freagraí samplacha

Ardteistiméireacht, 2000

Dráma corraitheach faoi bhean óg a fhágtar ina haonar ag iompar clainne, í tréigthe ag an bhfear ar thug sí grá dó, is ea 'An Triail.' Sna seascaidí ba mhór an scannal é páiste a bheith ag bean shingil. Tá tagairtí do Mháire sa chúirt mar 'choirpeach'; deir a dearthár gur 'peacúil' é leanbh a bheith aici. Tríd an gcás aonair seo scrúdaíonn Máiréad Ní Ghráda dearcadh mí-charthanach an phobail ar mháithreacha aonair.

Bean fhuarchúiseach chráifeach is ea Bean Uí Chathasaigh, a thóg Máire 'go creidiúnach agus go Críostúil.' Nuair a fhaigheann sí amach go bhfuil Máire torrach, is beag rian den charthanacht atá le feiceáil; maslaíonn sí Máire mar go bhfuil sí neamhurchóideach, dar léi. Nuair nach bhfuil Máire sásta glacadh le marú an linbh, cuireann Bean Uí Chathasaigh 'mallacht Dé' uirthi, ní thugann sí aon chabhair di, agus glaonn sí striapach uirthi. Taispeánann sé seo gur bean fhimíneach í máthair Mháire. Bhí sí ag smaoineamh níos mó ar thuairimí na gcomharsan ná ar chúrsaí moráltachta.

Ní léiríonn grá Phádraig aon phioc den charthanacht ach oiread. Meallann sé le briathra binne agus le caint ornáideach í—'an fiántas atá folaithe i do shúile.' Taispeántar cé chomh neamhbhuan is atá an grá seo nuair a thréigeann sé í. Tá a fhios aige go bhfuil sé ag cur Máire ar bhealach a haimhleasa, ach is cuma leis. Níos faide ar aghaidh sa scéal buaileann sé le Máire ag teach an mhíchlú, agus ní theastaíonn uaidh a iníon a fheiceáil.

Tá drúis agus ainmhian chorpartha sáite go domhain i gcroí Phádraig. Ólann sé 'deoch sláinte' do 'gach aon óinsín tuaithe ar leor focal bog bladrach chun í a mhealladh.' Glaonn sé 'striapach' uirthi freisin.

Léirítear gaois na haoise agus baois na hóige sa chaidreamh idir Máire agus Pádraig. Tá Pádraig mídhílis mailíseach, agus ní theastaíonn uaidh ach a dhúil ainsrianta a shásamh. Ní léiríonn sé aon chineáltas do Mháire.

Tá easpa carthanachta le feiceáil i phearsa an oibrí shóisialta freisin. Tagraíonn sí do 'thrioblóidí' Mháire agus 'a cúrsaí truamhéileacha.' Cuireann sí iallach ar Mháire na cáipéisí a shíniú. Taobhaíonn sí leis an uasaicme; tá 'jab le déanamh aici,' dar léi, agus níor mhaith léi fadhb Mháire a iniúchadh go géar.

Éiríonn go han-mhaith le Máiréad Ní Ghráda an easpa carthanachta a léiriú sa dráma seo. Ní theastaíonn ó aon duine cúnamh a thabhairt do Mháire, agus dá bhrí sin maraíonn sí an leanbh agus cuireann sí lámh ina bás féin. Sa deireadh, ní raibh aon dul as aici.

Réamhscrúdú na Cásca, 2000

Déan cur síos ar na teicníochtaí drámata atá le feiceáil sa dráma An Triail.

Gan amhras is dráma spéisiúil réadúil é 'An Triail' le Máiréad Ní Ghráda mar gheall ar an stíl scríbhneoireachta a fhíonn sí go héifeachtach isteach sa dráma. Ceistíonn 'An Triail' tuiscintí caolaigeanta fimíneacha an tréimhse inar scríobh sí é; ach ní bheadh sí ábalta é sin a dhéanamh go héifeachtach gan teicníochtaí drámata a úsáid. Ina measc sin tá na teicníochtaí seo a leanas:

An garsún nuachtán

Sula n-ardaítear an brat ritheann garsún nuachtán isteach; insíonn sé dúinn go bhfuil tarlúint uafásach sa nuacht. Músclaíonn sé suim sa lucht féachana; bíonn siad ar bís le tnúthán.

Suíomh na cúirte

Suíomh drámata is ea seomra cúirte i gcónaí. Is siombail é suíomh na cúirte de chothrom na Féinne. Is féidir leis an lucht féachana breithiúnas a thabhairt, ós rud é go bhfuil an fhianaise tugtha dúinn. Iarrtar orainn an fhianaise a scrúdú agus gan trua a bheith againn.

Tá íomhá shuíomh na cúirte chomh lom sin go gcuireann sé in iúl dúinn cé chomh náireach is atá an tragóid seo. Deir an t-aturnae: 'Éistigí leis an bhfianaise a thabharfar os bhur gcomhair agus tugaigí bhur mbreith.' Arsa an cléireach: 'A phríosúnaigh, ciontach nó neamhchiontach?' Inniu fós nuair a bhíonn dráma cosúil leis seo ar an teilifís cuirtear gach duine san airdeall, ag feitheamh leis an toradh.

An teaghlach mar chreatlach dhrámata

Cuid de bhéaloideas an domhain is ea cás na hógmhná atá tréigthe ag a leannán, mar a chuireann an t-amhrán tíre 'Siúil, a Ghrá' i gcuimhne dúinn i dtosach 'An Triail.' Más fíor go bhfuil an t-ábhar chomh sean leis an saol, úsáideann Máiréad Ní Ghráda idir sheanteicníochtaí agus nuatheicníochtaí ó thaobh ealaíne de.

Tá córas agus struchtúr an teaghlaigh mar chreatlach dhrámata in 'An Triail.' A muintir féin—a máthair agus a beirt deartháireacha—a ruaigeann Máire agus a thréigeann í i dtosach. Is í an aonaracht seo cinniúint Mháire. 'Ní luafaidh mé d'ainm; an ród atá romham caithfidh mé aghaidh a thabhairt air i m'aonar.' De réir a chéile fágann sí na struchtúir shóisialta ina diaidh. Is í an aidhm a bhí ag Máiréad Ní Ghráda ná dearcadh fuarchúiseach mícharthanach cruálach na tréimhse a nochtadh. Tá sé spéisiúil freisin gur máistir scoile—duine mór le rá sa saol ag an am—a thréigeann Máire, agus cothaíonn sin drámaíocht sa scéal.

Oibríonn an croscheistiúchán go héifeachtach mar ghléas drámata tríd an dráma. Trí úsáid an chroscheistiúcháin cuirtear fírinne mhorálta agus fírinne eacnamaíoch araon inár láthair. Faightear amach go bhfuil na pearsana eile faoi bhrú agus go gcaithfidh siad glacadh le cuid den mhilleán. Ceistíonn na haturnaetha na pearsana agus léiríonn siad fírinne na rudaí a rinne siad ar Mháire, murab ionann agus na rudaí ba mhaith le daoine a cheapadh fúthu féin. Mar a deir máthair Mháire, 'Ní ormsa is cóir aon phioc den mhilleán a chur.'

Iardhearcadh

Ní éiríonn an dráma seo leadránach in aon chor. Trí úsáid an iardhearcaidh, glacann an lucht féachana páirt ghníomhach sna heachtraí. Is í an aidhm atá leis seo ná fírinne na n-eachtraí a léiriú in ionad na fírinne de réir an phobail. Tugtar deis don lucht féachana ar a dtuairimí féin a chothú tríd an dráma. Feicimid Pádraig Oíche Bhealtaine ag mealladh Máire, na striapaigh ag magadh faoi Sheáinín an Mhótair, an teach mór i Ráth Garbh, an mhonarcha, an teach lóistín, fiú an reilig i ndeireadh an dráma. Bíonn an lucht féachana mar a bheadh foghlaimeoirí, iad ábalta smaoineamh go fuarchúiseach nó 'os cionn' an dráma. Is léir dóibh nach triail chúirte í i ndáiríre, mar tá an 'coirpeach' (Máire) marbh.

Tá blas nua-aimseartha le sonrú sa dráma. Dúirt Máiréad Ní Ghráda go raibh spéis aici i ndrámaí teilifíse a scríobh. Tá na radhairc gairid, briste, mar a bhíonn i ndrámaí teilifíse.

Tá simplíocht áirithe ag baint leis an gcaoi a bhfuil an saol ar fad i gcoinne Mháire (ach amháin Mailí, an 't-aingeal dubh')—an scéal ina dhubh agus bhán tríd an dráma. D'fhéadfaí Máire a chur i gcomparáid leis an 'duine neamhurchóideach' agus í ar a slí féin tríd an saol. Ar nós drámaí teilifíse go minic, is beag forbairt a dhéantar ar na pearsana mar phearsana. Tá an cléireach ann, an t-oibrí sóisialta, Bean Uí Chinsealaigh i Ráth

Garbh, an striapach, an bheirt aturnae. Níl ainm ar chuid díobh.

Baintear úsáid chliste as na soilse freisin mar ghléas drámata. Úsáidtear na soilse chun aird a dhíriú ar an bpearsa atá i gceist agus gach pearsa eile agus an suíomh nó cúlra a chur ar leataobh. Cuireann na soilse brú ar na pearsana atá i gceist nuair atá gach uile dhuine ag féachaint orthu agus iad ag insint an scéil dúinn.

Ag deireadh an dráma tá an focal deireanach ag Mailí. 'Cailín dílis a bhí inti . . . go ndéana Dia trócaire ar a hanam agus ar anam gach peacaigh eile mar í. Go ndéana Dia trócaire orthu araon.' Bíonn sé rídheacair ag an lucht féachana gan bheith báúil le Máire agus a leanbh. Nuair a chloistear 'Siúil, a Ghrá,' tagann na deora go faíoch chuig an lucht féachana.

Ardteistiméireacht, 2001

Déan trácht ar an tragóid a léirítear sa dráma seo agus ar an gcaoi a gcuirtear an tragóid sin os ár gcomhair.

Is í bunbhrí na tragóide ná coimhlint idir an phríomhphearsa agus a chinniúint, a chríochnaíonn i mbás dosheachanta an duine, a líonann an lucht féachana leis an méid sin trua go nglanann sé an intinn. Is fíor sin maidir leis an tragóid sa dráma 'An Triail.' Cé go bhfuil difríocht mhór idir an tragóid nua-aoiseach agus an tragóid chlasaiceach, is iad na gnéithe céanna is bunús le tragóid fós. Tá an patrún nó an struchtúr céanna ann:

—an cur i láthair

—an choimhlint

—an bás cinniúnach.

In 'An Triail' tugtar léargas go luath dúinn ar na pearsana: bean óg neamhphósta, í torrach, gan chara gan chompánach, caite amach as a teach teaghlaigh toisc go dteastaíonn uaithi a leanbh a choimeád. 'Rinne tú do chuid féin díom—is leatsa ó shin mé idir anam agus coirp, an ród atá romham caithfidh mé aghaidh a thabhairt air i m'aonar' (monalóg Mháire).

Is é Pádraig a leannán, é ina theagascóir gan onóir i gcaitheamh na seachtaine, ina shéiplíneach gan ord maidin Dé Domhnaigh. Tá coimhlint le feiceáil idir Pádraig agus Máire. Ceapann Máire go bhfuil éagóir á déanamh aici ar bhean Phádraig, ach a mhalairt atá fíor dar le Pádraig; ligeann sé air go bpósfadh sé í dá mbeadh sé saor. Ach buachaill báire is ea é, a fhágann torrach í agus ansin a thréigeann í. Diúltaíonn sé aon aitheantas dá iníon beag. Is tragóid é go bhfuil Máire óg so-mheallta agus beagán áiféiseach maidir lena caidreamh leis an máistir scoile. Ní críoch shona atá i ndán di: maraíonn sí an leanbh agus cuireann sí lámh ina bás féin. 'Ní cheadaíodh sí an leanbh a dhul uaithi i ndorchacht na síoraíochta gan í féin a dhul in éineacht léi.'

Diaidh ar ndiaidh tugtar léargas dúinn ar uafás na tragóide a bhaineann le Máire. Nuair a fhaigheann a máthair amach go bhfuil sí ag iompar linbh níl trua ar bith aici di. Díbríonn sí í, tar éis tréaniarracht a dhéanamh ar an ngin a mhilleadh. 'Socróidh sé seo thú.' Cuireann sí iallach uirthi an fear a phósadh nó imeacht go Sasana. Cuireann tuairimí na gcomharsan isteach go mór uirthi. Feicimid fimíneacht na máthar, a bhíonn ar a glúine gach oíche agus an Choróin Mhuire á rá acu, ach is beag carthanacht a thaispeánann sí dá hiníon. Níl an córas sóisialta in ann teacht i gcabhair uirthi ach oiread. Theip ar an oibrí sóisialta agus ar an teach tearmainn cabhair a thabhairt di in am an ghátair.

I ndeireadh an dráma léiríonn Seáinín an Mhótair a fhealsúnacht féin: 'Bhris sí na rialacha. An té a bhriseann rialacha an chluiche cailltear ann é.' Nach tragóideach an scéal é gurb é an féinmharú agus dúnmharú a linbh cinniúint Mháire de dheasca laige amháin ina pearsantacht.

An chaoi a gcuirtear an tragóid os ár gcomhair

Cuirtear an tragóid seo os ár gcomhair i bhfoirm dráma. Léiríonn teideal an dráma, 'An Triail,' go bhfuil rud éigin neamhghnách i gceist. Ní bhíonn triail ar siúl ach amháin mar thoradh ar dhrochghníomh éigin—dúnmharú, dísheabhú, foréigean nó caimiléireacht de shaghas éigin. Mar sin, is oiriúnaí an fhoirm inste atá againn anseo.

Cruthaíonn na haturnaetha, na finnéithe agus fiú na garsúin nuachtán suíomh réalaíoch. Is gléas iad na haturnaetha chun brú an scéil a mhíniú dúinn. Táimid ag súil leis an gcros-cheistiúchán chun an fhírinne a nochtadh dúinn. Tá dearcadh an phobail i leith máithreacha singile ag an am sin an-soiléir: 'coirpeach' atá inti, dar leo. Ní thaispeánann aon duine pioc den charthanacht di—ach amháin Mailí, atá imeallaithe ag an sochaí freisin.

Tá úsáid na spotsoilse an-éifeachtach sa dráma. Nuair a chaitear ar an bhfinné iad agus ansin ar chúrsaí an tsaoil a bhain le Máire, cuirtear dhá thaobh shaol Mháire os ár gcomhair. Feicimid an saol mar a bhí: Máire, a teaghlach seasmhach, a máthair chráifeach, ach í i ngrá le Pádraig Mac Carthaigh. Anois tá a saol bunoscionn, í tréigthe ag an bhfear ar thug sí grá dó, ag dul síos bóthar a haimhleasa. Tá bóthar achrannach le siúl aici ina haonar.

Leanann tragóid í i ngach cuid dá saol. Caitear amach as a teach féin í; fágann sí an teach tearmainn; titeann an teach lóistín anuas uirthi. Tá sé soiléir don lucht féachana mar sin go bhfuil cinniúint uafásach i ndán di. Ní raibh liúntas na máithreacha singile ann an t-am sin chun cabhrú léi. Bhí na mná ag obair sa mhonarcha ar phá íseal. Ní raibh cearta ag na mná; níor theastaigh ón máthair ach go mbeadh Máire sna mná rialta—'ina máthair Columbán le Muire, misiúnaí san Afraic.' Spreagann na gnéithe seo go léir suim sa lucht féachana, mar is léir dóibh gur scéal sochreidte é, agus tá a fhios acu go dtarlaíonn a leithéid inniu fós. Téann mná ar nós Mháire go Sasana chun ginmhilleadh a fháil. Cé go bhfuil sochaí an lae inniu níos cineálta do mháithreacha singile, is féidir leis an lucht féachana ionannú a dhéanamh le cás Mháire, tragóid a tharlaíonn níos minice ná mar ba cheart sa lá atá inniu ann.

Ceist shamplach

'Feicimid an dá thaobh de shaol na hÉireann sa dráma seo.' *É sin a phlé.*

Gan dabht ar bith tá an ráiteas sin fíor. Sna seascaidí bhí dearcadh anchúngaigeanta ag an saol ar mháithreacha singile, go háirithe in Éirinn. Tuairim na gcomharsan is mó a chuireann isteach ar mháthair Mháire. Bhí cumhacht as cuimse ag an Eaglais Chaitliceach freisin. 'Dá mbeadh a fhios ag an sagart tú a bheith ag teacht anseo—ba ghairid an mhoill air bata agus bóthar a thabhairt dom,' arsa Pádraig le Máire.

Bhí mná, agus mná oibre go háirithe, ar imeall na sochaí. 'Táimid tuirseach traochta, is muid ag obair gan aon phá . . . is muid ag sclábhaíocht gach lá.' Ní raibh aon liúntas ar fáil do mháithreacha singile, toisc tionchar na heaglaise ar an stát; dá bhrí sin bhí ar Mháire dul amach ag obair chun í féin agus a leanbh a chothú.

Bhí saol an mhada bháin ag na fir. Ní cuireadh an milleán orthu in aon chor nuair a bhí an bhean torrach. Bhí sé an-éasca an ruaig a chur ar an mbean agus altramaithe a fháil don leanbh; ní raibh an fear náirithe. Ní raibh meas ag na fir ar na mná; bhí siad sásta deoch a ól 'in onóir gach aon óinsín tuaithe ar leor focal bog bladrach chun í a mhealladh.' Tá an dearcadh sin le sonrú i ngach rud a dhéanann na fir sa dráma seo. Arsa Liam: 'Ní mise a coimeádaí.' Arsa Seán: 'Chiontaigh sí in aghaidh Dé. Ba cheart bheith dian uirthi.' Agus glaonn Pádraig 'striapach' ar an mbean a ndearna sé féin drochíde uirthi agus a thréigeann sé.

Bhí eagla ar an máthair go mbeadh na comharsana ag síneadh a méaracha chuici agus í ag dul ar Aifreann. Ní thaispeánann aon duine dá muintir ná dá comharsana carthanacht do Mháire; fiú sa reilig cloistear na focail 'Náirigh sí sinn . . . Cad a déarfadh na comharsana?' Is í Mailí, striapach, a iarrann trócaire ó Dhia di: 'Go ndéana Dia trócaire ar a hanam.' Nach íorónach é seo. Rinne a leannán bréag uirthi agus ba chóir go mbeadh aithreachas air, dar le Mailí.